ᐅᑭᐅᖅᑕᖅᑐᒥ ᑎᖕᒥᐊᑦ
UKIUQTAQTUMI TINGMIAT
ARCTIC BIRDS

ᐅᓇ ᑐᓗᒐᖅ.

Una tulugaq.

This is a raven.

ᐅᓇ ᐅᒃᐱᒡᔪᐊᖅ.

Una ukpigjuaq.

This is a snowy owl.

ᐅᓇ ᓇᐅᔭᖅ.

Una naujaq.

This is a seagull.

ᐅᓇ ᑲᖑᖅ.

Una kanguq.

This is a snow goose.

ᐅᓇ ᐊᕿᒡᒋᖅ.

Una aqiggiq.

This is a ptarmigan.

ᐅᓇ ᖁᐸᓄᐊᖅ.

Una qupanuaq.

This is a snow bunting.

ᐅᓇ ᕿᙵᓕᒃ.

Una qingalik.

This is a king eider.

Nunavummi